Patricia, la fée des poneys

Pour Emelia Macmichael,
avec beaucoup d'amour.

Un merci spécial à Sue Mongredien.

Catalogage avant publication
de Bibliothèque et Archives Canada

Meadows, Daisy

Patricia, la fée des poneys / Daisy Meadows ;
texte français de Dominique Chichera-Mangione.

(L'arc-en-ciel magique. Les fées des animaux ; 7)
Traduction de: Penny, the pony fairy.
Pour les 6-9 ans.
ISBN 978-1-4431-0339-8

I. Ripper, Georgie II. Chichera, Dominique III. Titre. IV. Collection:
Meadows, Daisy. Arc-en-ciel magique. Les fées des animaux ; 7.

PZ23.M454Pa 2010   j823'.92   C2010-903237-3

Édition publiée par les Éditions Scholastic,
604, rue King Ouest, Toronto (Ontario) M5V 1E1

6 5 4 3 2   Imprimé au Canada 139   13 14 15 16 17

Patricia, la fée des poneys

Daisy Meadows

Texte français de Dominique Chichera-Mangione

Éditions **SCHOLASTIC**

Le palais
du Royaume
des fées

Le village de Beauvallon

La ferme
des pins
verts

L'exposition
de printemps

Les écuries des voltigeurs

Le château de glace du Bonhomme d'Hiver

La maison de Jeanne Doucet

e parc

La maison de Karine

La maison de Jérôme Delavaux

La maison de la famille Picard

Les fées ont toutes un animal de compagnie,
Et moi je n'ai même pas une petite souris.
Je vais donc partir en chasse
Et les attirer dans mon château de glace.

J'ai jeté un sort dans le but héroïque
De m'approprier ces animaux magiques.
Bientôt, les fées verront avec effroi
Leurs sept compagnons vivre chez moi!

Table des matières

Une promenade à dos de poney

— Allons-y, Prince! s'écrie Karine Taillon.

Elle ajuste ses rênes et Prince, le poney noir
qu'elle monte, s'engage le long du sentier.
Karine adresse un sourire à sa meilleure
amie, Rachel Vallée, qui chevauche une
jument alezane nommée Annie. Les deux
fillettes passent l'après-midi aux Écuries
des voltigeurs.

— C'est une journée formidable pour faire
une promenade en poney, dit Karine d'un
ton joyeux en sentant la chaleur du soleil sur
son visage.

— Et la façon idéale de terminer mon
séjour chez toi, ajoute Rachel.

Les fillettes échangent un sourire complice.

Rachel est venue passer les vacances
scolaires dans la famille de Karine et elles ont
vécu des moments fabuleux à aider les fées
du Royaume des fées! Le Bonhomme
d'Hiver a volé tous les animaux magiques
des fées des animaux. Il était furieux car, au
Royaume des fées, ce sont les animaux qui
choisissent leur maître. Aucun animal ne l'a
choisi! De rage, il a emmené les animaux
magiques des fées des animaux dans son
château de glace.

Heureusement, ils sont intelligents et ont
réussi à s'échapper. Mais à présent, ils sont
perdus dans le monde des humains! Rachel
et Karine ont passé leurs vacances à en
secourir plusieurs avant que les méchants
gnomes du Bonhomme d'Hiver ne les
capturent de nouveau. Jusqu'à présent, les
fillettes ont trouvé six des sept animaux
manquants.

— Il nous reste à trouver le poney de Patricia, la fée des poneys, dit Karine d'un air pensif. J'espère vraiment que nous le retrouverons avant que tu ne retournes chez toi, Rachel.

Rachel hoche la tête.

— Eh bien, nous sommes à l'endroit idéal pour le trouver, répond-elle. Ici, c'est le paradis des poneys!

Les Écuries des voltigeurs sont situées à l'orée de la magnifique forêt des Pins que longe le groupe de cavaliers.

Montées sur leurs poneys, les fillettes hument la fraîche senteur des arbres et écoutent les oiseaux chanter, haut dans les branches.

Une des monitrices, Jessica, est à la tête du groupe. Derrière elle viennent une autre fillette et deux garçons.

Karine et Rachel sont à la fin du groupe. Elles chevauchent l'une à côté de l'autre et discutent tout en avançant au trot.

Après quelques minutes, la piste mène les cavaliers près d'un grand étang sur lequel

nagent plusieurs oies blanches.

— Ce sont des oies des neiges, précise Jessica. Vous voyez leurs plumes noires au bout de leurs ailes?

Karine observe attentivement les oies qui glissent à la surface de l'eau. Soudain, un mouvement furtif attire son regard.

— Regarde, il y a un lièvre, dit-elle en le montrant du doigt.

Puis il se faufile derrière un buisson.

— Oh! Et il y a un écureuil dans cet arbre! ajoute Rachel.

Elle montre à Karine la
branche où il s'est
perché; il regarde
passer les poneys
avec des yeux
brillants.

Soudain, Karine
surprend un éclair
vert qui disparaît
dans les arbres.

— Qu'est-ce que
c'est? murmure-t-elle
en regardant
attentivement entre
les feuilles.

Puis elle retient
son souffle.

— Oh, Rachel,
regarde! C'est un
gnome!

Rachel aperçoit l'un des gnomes du Bonhomme d'Hiver qui les observe depuis sa cachette derrière un arbre.

Puis, elle en remarque un autre qui est assis sur une haute branche!

— Si les gnomes sont ici, c'est certainement parce qu'ils pensent que le poney magique de Patricia est dans les parages, dit Rachel.

Elle prend un air résolu et déclare :

— Et si c'est le cas, nous devons le trouver avant eux!

Karine acquiesce d'un signe de tête et les fillettes continuent leur promenade.

Elles scrutent attentivement les alentours à la recherche d'autres gnomes et du poney magique.

Soudain, quelques claquements sonores qui ressemblent à des feux d'artifice résonnent dans les airs. À l'avant du groupe, les poneys prennent peur; ils hennissent et se cabrent. Jessica maîtrise le sien d'une main experte, mais les cavaliers derrière elle paniquent tandis que leurs poneys s'emballent. Ils ne savent pas quoi faire!

Le poney de Karine, Prince, hennit nerveusement

et part au galop. La jument de Rachel,
Annie, s'élance aussitôt à sa suite.

— Restez calmes! crie Jessica au groupe.
Et tenez bien les rênes!

Rachel et Karine s'accrochent fermement
tandis que leurs poneys galopent le long du
sentier.

— Crois-tu que ce sont les gnomes qui ont
fait ce bruit? demande Rachel à Karine.

— Je ne sais pas, répond celle-ci, mais une
chose est sûre, les poneys sont vraiment
terrifiés!

Les poneys filent à toute vitesse. Les fillettes s'aperçoivent que le sentier forme une fourche un peu plus loin.

Les poneys s'apprêtent à prendre la piste de droite sans ralentir leur allure. Juste au moment où ils approchent de l'intersection, deux gnomes sortent soudain de derrière leur buisson et font entendre deux autres *bangs* sonores!

Le bruit effraie Prince et Annie. Les deux poneys se dirigent alors vers le sentier de gauche.

— Oh, non! crie Karine. Les poneys n'ont pas pris le bon sentier.

De la magie dans la clairière

Rachel fait tout son possible pour calmer son poney effrayé.

— Tout va bien, Annie, lui dit-elle. Ne t'inquiète pas!

Elle essaie de paraître calme, malgré sa peur. Les poneys galopent à toute vitesse maintenant, et Rachel doit se concentrer pour rester en selle.

« Ne panique pas! » se dit-elle en tirant
fermement sur les rênes. Elle jette un coup
d'œil à Karine et constate que son amie fait
la même chose. Enfin, les deux poneys
ralentissent leur course. Quelques instants
plus tard, dans une clairière, les deux fillettes
réussissent à arrêter complètement leurs
poneys.

— Ouf! souffle Karine, toute tremblante,
en se laissant glisser du dos de Prince.

— C'était exaltant,
mais aussi effrayant,
confesse Rachel en
descendant à son
tour.

Puis elle fait une
caresse à sa jument
pour la rassurer.

— Tu as été
brave, Annie.

Karine lance un regard circulaire sur la prairie plutôt verte.

— Je me demande où nous sommes. Crois-tu que les poneys sauront retrouver leur chemin jusqu'aux écuries?

Mais Rachel n'écoutent qu'à moitié. Du coin de l'œil, elle a remarqué quelque chose qui luit à l'autre bout de la clairière. On dirait la magie des fées!

— Karine, regarde! s'écrie-t-elle en tendant le bras.

Mais l'étincelle disparaît avant qu'elle ne puisse prononcer un autre mot.

Rachel se frotte les yeux et observe attentivement, mais tout semble parfaitement normal à présent.

— Je suis sûre d'avoir vu quelque chose de magique, dit-elle à Karine en attachant les rênes d'Annie à un arbre. Allons voir de plus près.

Karine attache Prince près d'Annie et suit son amie. Les fillettes cherchent partout autour de la clairière. Puis, c'est Karine, cette fois, qui repère quelque chose… un chatoiement de poudre magique près des rochers!

— Rachel, par ici! crie-t-elle en se laissant tomber sur les genoux pour voir d'où vient la poudre magique.

Puis, elle sourit.

— Oh, Rachel! murmure-t-elle. Viens

voir. Il est si
mignon!

Rachel
s'agenouille près
de Karine et
sourit, elle aussi.
Là, sortant
timidement la
tête de sous une
fleur de
pissenlit, se tient
un minuscule
poney blanc
et scintillant.

— Il s'agit sûrement
du poney magique de Patricia! lance
Rachel. Il est vraiment mignon!

— Bonjour, petit poney, murmure
doucement Karine, en caressant le minuscule

museau du bout des doigts.

— Peux-tu nous aider, s'il te plaît? Les gnomes du Bonhomme d'Hiver ont fait peur à nos poneys, alors ils ont galopé, galopé et nous avons été séparées de notre groupe. À présent, nous sommes perdues!

Le poney magique émet un léger hennissement comme s'il avait compris ce que Karine venait de lui raconter. Il se dirige en trottinant vers Prince et Annie. Puis, dans un éclair de magie, il prend la taille normale d'un poney. Il est doté de la robe la plus blanche et la plus brillante que les fillettes aient jamais vue. Il touche le museau de

Prince et d'Annie.

Un flot de poudre magique argentée tourbillonne autour des trois poneys. Prince et Annie semblent se calmer aussitôt.

Rachel adresse un sourire à Karine.

— Un animal de compagnie magique qui vient de nouveau à la rescousse! dit-elle d'un ton joyeux.

Le poney magique hennit une seconde fois et fait un signe de tête vers un chemin qui s'éloigne de la clairière. Il trottine dans cette direction, puis se retourne et hennit à nouveau.

— Il nous montre le chemin pour sortir de la clairière, constate Karine. Viens, Prince.

Elle détache Prince de l'arbre, reprend ses rênes et caresse sa robe d'un noir brillant.

— Est-ce que tout va bien, maintenant? Est-ce que je peux remonter?

Prince frotte son museau contre l'épaule de Karine en poussant un léger hennissement.

— Je vais prendre cela pour un oui, dit Karine en mettant le pied à l'étrier.

Mais avant même de s'asseoir sur la selle,
Rachel saisit le bras de Karine.

— J'entends des voix! chuchote-t-elle.

Karine s'arrête un instant pour écouter.

— Tu as raison. Quelqu'un vient par ici,
souffle-t-elle. Ce sont les gnomes! Vite,
allons-nous cacher!

Cachons les poneys!

Rachel lance un regard rapide autour d'elle.

— Oui, mais où?

La clairière est entourée d'arbres, mais aucun d'entre eux n'est assez gros pour cacher les fillettes et les trois poneys.

Avant que Karine ne puisse répondre, les fillettes entendent une voix derrière elles :

23

— Pacha! Tu es sain et sauf!

Karine et Rachel se retournent vivement et voient un écureuil descendre d'un arbre en gambadant. Patricia, la fée des poneys, est assise sur son dos!

Elle descend du dos de l'écureuil en voletant et le remercie poliment. Puis, elle vole vers son poney d'un air joyeux.

Patricia a de longs cheveux dorés qui tombent dans son dos. Elle porte des bottes violettes, un jean et un joli chemisier imprimé violet et blanc.

— Merci d'avoir trouvé Pacha! s'exclame Patricia d'un ton joyeux.

Elle se pose sur le museau de son poney et
lui donne un bisou.

— Bonjour, Patricia, murmure Karine.
Malheureusement, les gnomes vont le
trouver, eux aussi, si nous ne partons pas
d'ici rapidement. Ils s'en viennent par ici!

— Il n'y a aucun endroit où se cacher, ici!
ajoute Rachel.

Elle jette un coup d'œil par-dessus son
épaule. Les voix des gnomes se font de plus
en plus fortes. Rachel peut également
entendre le bruit de leurs pas à présent.

Ils vont voir Pacha, c'est certain.

Patricia s'empresse d'agiter
sa baguette sur l'arbre le
plus près, un grand
chêne. La poudre
argentée qui en
jaillit tourbillonne
au-dessus du
chêne qui se
transforme alors
en un saule
pleureur aux
longues branches
feuillues.

— Parfait! souffle
Karine. C'est un
merveilleux endroit pour se
cacher! Elle affiche un sourire et se
dépêche d'emmener Prince sous le saule
pleureur.

Rachel mène également Annie
sous l'arbre, et Pacha et
Patricia les suivent, juste
à temps.

Les fillettes
retiennent leur
respiration en
entendant les
gnomes
s'approcher de
plus en plus près.

— Nous les
avons vraiment
effrayés avec nos
feux d'artifice! se vante
l'un d'eux.

— Le poney magique va
certainement venir maintenant,
glousse un autre gnome. Ces animaux
magiques ne sont-ils pas censés venir en aide

aux animaux effrayés dans le monde
des humains?

— Eh bien, espérons qu'il va bientôt être
là, ajoute un troisième gnome. C'est notre
dernière chance d'obtenir un animal de
compagnie pour le Bonhomme d'Hiver. Si
tout tourne mal encore une fois, nous nous
retrouverons dans de beaux draps!

Karine regarde très discrètement entre les
branches du saule pleureur. Elle voit que
quelques gnomes ont des feux d'artifice dans
les mains. Étrangement, l'un d'entre eux a
des serpentins de toutes les couleurs qui
pendent de ses grandes oreilles vertes!

— J'ai hâte de mettre la main sur ce
poney, dit le premier gnome en souriant.

— Il n'a aucune
chance de nous
échapper. Après tout,
nous sommes sept
pour l'attraper!
ricane un
autre gnome.

Puis tous se
mettent à se disputer
à grands cris pour décider
lequel d'entre eux
chevauchera en premier
le poney magique. Karine,
Rachel et Patricia échangent
des regards inquiets.

— Nous devons emmener Pacha loin d'ici,
murmure Rachel à Patricia. C'est peut-être
le bon moment puisqu'ils se disputent…

Patricia hoche la tête en signe
d'approbation.

— Si Karine et toi chevauchez Prince et
Annie, je demanderai à Pacha de me
ramener sur le sentier, dit-elle dans un petit
murmure de fée.

Karine et Rachel se remettent doucement
en selle. Patricia s'approche en voletant
d'une oreille de Pacha et lui chuchote
quelque chose. Pacha hoche la tête
et, lorsqu'ils sont tous prêts à
partir, il quitte
silencieusement l'abri
formé par le saule
pleureur et s'éloigne
de l'endroit où les
gnomes se disputent.

Rachel retient son
souffle en voyant
Annie passer son

museau entre les branches du saule pleureur.

Elle sort de la cachette, suivie de Prince.

Les poneys sont silencieux. Ils semblent
savoir instinctivement qu'ils doivent se tenir
tranquilles pour protéger Pacha.

Mais juste au moment où Karine pense
qu'ils vont réussir à s'échapper, Prince pose
la patte sur une brindille sèche. Elle se casse
dans un grand *crac!*

— Qu'est-ce que
c'est? crie l'un des
gnomes. Y a-t-il
quelqu'un?

Tous les gnomes
se tournent vers les
fillettes.

— Oh! Le
poney magique! Il
est juste là!
s'exclame l'un

d'eux en sautillant de joie.

— Cours, Pacha! souffle Patricia.

Pacha part aussitôt au galop et
s'éloigne des gnomes.
Prince et Annie le
suivent de près, montés
par Karine et Rachel.

— Suivons-les!
hurlent les gnomes en
s'élançant à leur poursuite.

— Allez, Prince! murmure
Karine en se penchant sur son
cou pendant qu'il galope avec
Annie à la suite de Pacha.

Avec la vitesse, les arbres
forment une image floue à travers la
forêt. Puis les poneys se retrouvent de
nouveau sur le sentier! Karine se
sent soulagée.

Il est certain que les gnomes ne pourront

jamais les suivre à cette allure.

— Nous les avons semés! lance Rachel
après quelques minutes. Bon travail, Annie.
Nous avons réussi!

— Nous devrions arriver bientôt au bout
du sentier, dit Karine alors que les poneys
ralentissent et passent au trot. Les écuries ne
devraient plus être très loin.

— Peux-tu imaginer la tête de Jessica si
nous revenons avec Pacha et une bande de
gnomes? répond Rachel en riant.

Karine est sur le point d'éclater de rire, elle
aussi, quand tout à coup elle voit devant elle,
le Bonhomme d'Hiver en personne qui
semble furieux et bloque le chemin!

Une évasion glaciale

Karine retient son souffle alors que Prince se cabre. Annie pousse un hennissement de peur et fait demi-tour.

Le Bonhomme d'Hiver laisse échapper un horrible ricanement et psalmodie une formule magique. Une corde de glace serpente dans les airs et vient se poser autour du cou de Pacha.

Le Bonhomme d'Hiver rit d'un air triomphant et tire le poney vers lui.

— À présent, tu es mon compagnon! déclare-t-il.

— Non! crie Patricia en agitant sa baguette d'un air désespéré.

Une onde de poudre magique argentée s'enroule autour de Pacha. Karine et Rachel observent la scène, les yeux pleins d'espoir.

Mais la magie du Bonhomme d'Hiver est bien trop puissante pour Patricia; sa poudre magique perd de son intensité et tombe

autour des sabots de Pacha.

— Excellent! ricane le Bonhomme d'Hiver
en sautant sur le dos de Pacha. Ton nouveau
nom est Blizzard. Et tu m'appartiens à
présent. Allons-y!

Les yeux agrandis d'horreur, les fillettes
voient le Bonhomme d'Hiver s'éloigner sur le
dos de Pacha.

— Patricia, viens vite dans ma poche! dit
Karine. Allons, Rachel, nous devons essayer
de rattraper Pacha!

La petite fée toute tremblante plonge bien
vite dans la poche du chemisier de Karine.
Les poneys se lancent à la poursuite de leur
nouvel ami. À la grande surprise de Rachel,
ils semblent rattraper Pacha plus vite qu'elle
ne l'aurait cru.

— Je crois que Pacha prend son temps, dit-
elle à Karine. Je suis sûre qu'il ne galope pas
aussi vite qu'il le pourrait!

Patricia sort de la poche de Karine en

souriant.

— Tu as raison, dit-elle à Rachel. Il est
intelligent, ce Pacha! Il fait tout pour que
nous le rattrapions!

Le Bonhomme
d'Hiver passe devant
le panneau indiquant
les écuries et poursuit
son chemin sur le sentier.
Maintenant, les poneys
des fillettes ne sont
pas loin derrière lui.
Il est sur le point de
passer devant l'étang
quand il jette un
regard par-dessus
son épaule et les
aperçoit sur
le sentier.

En plissant les yeux, il s'empare de sa

baguette magique et récite une formule
magique. L'eau de l'étang
gèle instantanément et
le Bonhomme
d'Hiver dirige
Pacha vers la
glace.

— Allez,
Blizzard! le
presse-t-il.
Plus vite!

Pacha fait
quelques pas sur la
glace, incertain.

Puis, avec un sourire
méchant, le
Bonhomme d'Hiver se
retourne et agite sa baguette au-dessus de
la surface de glace qu'il vient juste
de traverser.

Aussitôt, la glace fond.

— Il s'arrange pour que nous ne puissions pas traverser l'étang à sa suite! constate Karine. Nous allons devoir le contourner.

— Mais nous ne pouvons pas, répond Rachel. Il n'y a pas de chemin. Il va falloir que nous…

Elle s'interrompt brusquement. Une volée
d'oies des neiges passent au-dessus de leur
tête. Elles descendent en piqué à l'autre
extrémité de l'étang.

Les fillettes et Patricia voient la plus grosse
atterrir en premier, pas très loin du
Bonhomme d'Hiver et de Pacha. L'oie pique
la glace avec son bec d'un air confus, puis
laisse entendre un cri déconcerté. Les autres

oies cacardent, elles aussi, étonnées que
l'étang soit gelé.

Dès qu'il entend les cris, Pacha dresse les
oreilles. Il refuse de se rapprocher des oies
bruyantes. Le Bonhomme d'Hiver descend
de son dos et tente de le tirer sur la glace
avec la corde, mais le petit poney ne cède
pas. Il ne veut pas faire un pas de plus.

— Bien joué, les oies! Elles ont empêché le
Bonhomme d'Hiver de continuer, dit
Rachel.

Puis elle pense subitement à quelque chose :

— Et j'ai une idée!

Des amies à plumes

— Si Patricia nous transformait en petites fées, nous pourrions toutes voler et rejoindre les oies, dit Rachel en bégayant sous le coup de l'excitation. Et les oies pourraient peut-être nous aider à secourir Pacha!

— Bonne idée! répond Patricia.

Rachel et Karine s'empressent d'attacher leurs poneys à un arbre tout près.

Patricia agite de nouveau sa baguette et les change en petites fées.

— Et voici un soupçon de magie en plus. Cela permettra aux oies de comprendre ce que vous dites, dit-elle en dispersant un peu de poudre magique au-dessus des fillettes.

Les oies font encore beaucoup de bruit lorsque les trois amies les rejoignent.

— C'est lui qui a transformé votre étang en glace! leur crie Rachel en désignant le Bonhomme d'Hiver.

Toutes les oies tournent la tête vers le
Bonhomme d'Hiver. La plus grosse oie agite
les plumes de sa queue et
s'adresse aux autres en
poussant de grands cris.
Puis toutes se dirigent
en se dandinant vers
le Bonhomme
d'Hiver. Elles ne sont
pas là pour rire!
Arrivées près de lui,
elles tapent la glace
de leur bec pour
montrer leur
mécontentement. Le
Bonhomme d'Hiver les
ignore, mais elles se
mettent à lui donner des coups de bec sur
les jambes.

— Hé! crie-t-il, surpris. Arrêtez!

Mais les oies ignorent ses protestations.

Bientôt, il est entouré d'oies qui cacardent, sifflent et lui donnent des coups de bec!

Pacha n'aime pas du tout les oies bruyantes. Il essaie de s'en éloigner en tirant sur la corde de glace. Le Bonhomme d'hiver est tellement occupé à chasser celles qui lui pincent les jambes que la corde lui glisse entre les doigts. Pacha est libre!

Patricia vole vers lui et agite sa baguette. De la poudre magique se disperse dans les airs et la corde de glace éclate en paillettes scintillantes qui fondent

dans la brise. Pacha reprend la taille d'un
poney magique.

Patricia glisse les bras autour de son cou.

— Oh, Pacha! s'écrie-t-elle d'un ton
joyeux. Je suis si heureuse que tu n'aies
aucun mal!

Le poney hennit légèrement et se frotte le
museau contre la main de Patricia. La fée
agite sa baguette et fait apparaître une belle
pomme rouge et juteuse pour lui.

Karine sourit en voyant Pacha et Patricia

réunis. Puis, elle se retourne pour voir si le
Bonhomme d'Hiver a remarqué quelque
chose. Il tente toujours d'échapper aux oies!
Alors qu'il repousse la plus grosse oie de la
main, de
magnifiques
étincelles magiques
tourbillonnent
autour de lui
et de l'oie.

— Qu'est-ce
que c'est? Que se
passe-t-il? demande
Karine à Patricia.
Patricia laisse échapper
un petit rire et explique :
— Un animal de compagnie a fini par
choisir le Bonhomme d'Hiver! L'oie des
neiges désire être son animal de compagnie!
— À moins que ce ne soit elle qui veuille

en faire son animal de compagnie, ajoute
Karine en éclatant de rire.

De l'autre côté de l'étang, les gnomes du
Bonhomme d'Hiver sortent du bois en
courant, mais ils arrivent trop tard pour
aider leur maître.

Le regard du Bonhomme d'Hiver tombe
sur Pacha qui se trouve en sécurité avec
Patricia. Il lève les mains pour signifier qu'il
accepte la défaite.

— Très bien! Je vais changer la glace en eau, crie-t-il. Mais vous, les oies, vous devez me laisser tranquille et cesser ce vacarme!

Il rejoint la berge et agite sa baguette.

Aussitôt, la glace fond. En agitant la queue pour marquer leur satisfaction, les oies lui tournent le dos, repartent en se dandinant vers l'étang et se jettent à l'eau une à une.

— Venez! crie le Bonhomme d'Hiver en colère aux gnomes. Rentrons à la maison!

Les gnomes suivent leur maître qui s'éloigne d'un pas lourd vers la forêt.

Soudain, avec un cri de surprise, la plus

grosse oie des neiges se met à voler à leur
suite. Elle atterrit à côté du Bonhomme
d'Hiver et glisse affectueusement son bec
dans sa main.

— Elle ne veut pas qu'il parte sans elle, dit
Patricia en souriant.

— Comme c'est mignon! s'exclame Karine

en voyant que l'oie lance à son nouveau maître un regard affectueux.

Les autres oies sortent de l'eau en se dandinant et vont rejoindre le Bonhomme d'Hiver et les gnomes.

— C'est formidable d'avoir un animal de compagnie, affirme Patricia en caressant Pacha. Je suis contente que le Bonhomme

d'Hiver ait, lui aussi, quelqu'un à aimer maintenant. Et je suis encore plus contente d'avoir retrouvé Pacha, ajoute-t-elle en adressant un sourire à Karine et à Rachel. Merci beaucoup, les filles!

Rachel fait battre ses ailes rapidement et déclare joyeusement :

— Maintenant, tous les animaux magiques sont en sécurité. Nous avons réussi!

— Je ferais mieux de retourner au Royaume des fées avec Pacha, annonce Patricia. Aimeriez-vous venir avec moi?

Un sourire éclaire le visage de Karine.

— Oui, j'adorerais ça! s'empresse-t-elle de répondre.

Puis, elle jette un regard vers l'endroit où sont attachés Prince et Annie.

— Mais nous devrions plutôt ramener les poneys aux écuries, reprend-elle.

— Tout ira bien, dit Patricia d'un ton rassurant. La magie donnera l'impression

que vous ne vous êtes éloignées
qu'un instant.

— Hourra! Alors, nous serions ravies
d'aller au Royaume des fées!

À chacun son compagnon

Patricia agite sa baguette et un nuage de poudre magique se disperse dans les airs. Il les enveloppe, elle, les deux fillettes et Pacha dans un tourbillon d'étincelles. Quelques secondes plus tard, les fillettes se retrouvent au Royaume des fées, juste devant le palais.

Le roi Obéron et la reine Titania les attendent dans les jardins du palais.

Les autres fées des animaux sont à
leurs côtés.

— Nous sommes heureux de vous revoir,
Karine et Rachel, dit la reine avec un
sourire. Merci beaucoup d'avoir aidé les fées
des animaux.

Le roi avance d'un pas.

— Vous avez réussi, mes chères amies.
Une fois de plus, vous avez aidé les fées et
rétabli l'ordre dans notre royaume.

Rachel et Karine font la révérence.

— Ce fut un plaisir, vos Majestés, répond

Karine poliment.

— Mais que se passera-t-il si le
Bonhomme d'Hiver tente
de nouveau de nous voler
nos petits compagnons?
demande Bella, la fée
des lapins. Comment
saurons-nous qu'ils sont
sains et saufs?
Patricia lui fait un
clin d'œil.

— Ne t'inquiète pas, Bella. Maintenant
que le Bonhomme d'Hiver a son propre
animal de compagnie, il n'aura pas besoin
de voler celui de quelqu'un d'autre, dit-elle.

La reine sourit et saupoudre un peu de
poudre magique au-dessus de l'étang voisin.
La surface scintille sous l'effet de la magie et
Karine et Rachel se penchent pour regarder
juste au moment où une image apparaît.

Elle montre le palais du Bonhomme d'Hiver,
avec un étang devant la facade!

— Il n'était pas là avant, dit Karine en
souriant.

— Et regarde! Il y a les oies! Elles semblent
très heureuses dans leur nouveau foyer,
n'est-ce pas?

Les fillettes sourient en voyant le
Bonhomme d'Hiver assis sur un banc près de
l'étang. Il donne du pain à la plus grosse oie
et la caresse gentiment. Ils semblent vraiment

bien s'entendre!

Kim, la fée des chatons, câline
Éclair, son chaton.

— Les compagnons des
fées des animaux sont
vraiment en sécurité
maintenant, dit-elle.
Bravo!

Sultan, le chiot,
saute dans les bras de
Rachel et lui lèche la
joue comme pour la
remercier. Puis Sydney
le cochon d'Inde pousse
de petits cris.

— Il dit « Bon travail,
Karine et Rachel », traduit
Gabi en souriant.

— Je pense que nous sommes
tous d'accord avec Sydney,

déclare la reine en adressant un grand
sourire au cochon d'Inde. Mais j'ai bien peur
que vous ne deviez retourner dans votre
propre monde maintenant, les filles. Annie et
Prince ont besoin que vous les rameniez
à l'écurie.

— Ils connaissent le chemin, ajoute le roi.
Jessica et les autres vous attendent là-bas. Si
vous vous dépêchez, vous arriverez avant
que Jessica ne soit obligée de retourner vous
chercher.

— Avant de partir, cependant, nous
aimerions vous offrir ceci, dit la reine.

Elle agite sa baguette. De la poudre
magique dorée tourbillonne dans les airs,
puis se disperse. Karine et Rachel se
retrouvent toutes les deux avec un bracelet à
breloques autour du poignet. Les bracelets
sont composés d'une chaîne en argent ornée
de sept minuscules breloques scintillantes aux

couleurs de l'arc-en-ciel.

— Oh, Karine, regarde! s'écrie Rachel, ravie. Un chaton, un lapin, un cochon d'Inde, un chiot, un hamster, un poisson

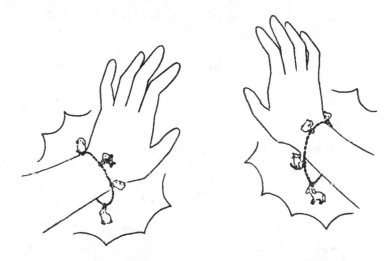

rouge et un poney!

— Vous n'oublierez jamais vos aventures avec les fées des animaux maintenant, leur dit le roi en leur faisant un clin d'œil.

Karine hoche la tête.

— Jamais de toute notre vie,

acquiesce-t-elle. Merci beaucoup. Et au revoir, vous tous! J'espère que nous nous reverrons bientôt!

— Au revoir! dit Rachel. Merci pour les bracelets. Chacune de nos aventures a été formidable.

— Au revoir! crient les fées des animaux en se précipitant pour étreindre leurs amies une dernière fois.

Puis, la reine lève sa baguette et l'agite

au-dessus des fillettes. Le
monde semble être entraîné
dans un tourbillon de
poudre magique, et Rachel
et Karine se retrouvent près
des poneys.

Karine détache Prince et
monte sur son dos.

— Retournons aux
écuries comme le roi nous
l'a demandé, souffle-t-elle.
Avec un peu de chance, nous aurons encore
le temps de faire une dernière randonnée
avec Jessica avant que maman ne vienne
nous chercher.

— Bonne idée, répond Rachel en
grimpant sur le dos d'Annie.

Puis elle adresse un sourire à Karine,
et propose :

— On fait la course?

L'ARC-EN-CIEL
magique

✦ ✦ ✦ ✦ ✦ ✦ ✦

LES FÉES DES
JOURS DE LA SEMAINE

Rachel et Karine ont aidé les sept fées
des animaux à retrouver chacune leur
animal de compagnie. Maintenant, ce sont
les fées des jours de la semaine qui ont des
ennuis. Les fillettes réussiront-elles à aider

Lina,
la fée du
lundi?

En route pour le royaume des fées!

— Je suis contente de passer les vacances avec toi, dit Karine Taillon à son amie, Rachel Vallée, tandis qu'elles sortent de Fantaisie Mode, le magasin d'accessoires de mode situé dans la rue Principale de Combourg. Et j'espère que ces boucles d'oreilles en brillants iront bien avec ma

nouvelle coupe de cheveux!

— Je suis sûre qu'elles iront très bien, répond Rachel d'un ton joyeux. Elles sont très jolies.

— Merci, réplique Karine. Je me demande comment vont les fées, ajoute-t-elle en baissant la voix.

Les fillettes passent la grille en fer forgé du parc et traversent la pelouse. Le parc est rempli de fleurs de toutes les couleurs. Au milieu s'élève un grand cadran solaire en laiton qui brille dans la lumière.

— Le soleil brille aujourd'hui, déclare Karine.

Rachel hoche la tête. Puis elle remarque quelque chose qui fait battre son cœur plus vite. De minuscules étincelles dorées planent et dansent au-dessus du cadran solaire!

— Karine, regarde le cadran solaire! souffle Rachel. Je crois que c'est la magie des fées!

LE ROYAUME DES FÉES N'EST JAMAIS TRÈS LOIN!

Dans la même collection

Déjà parus :
LES FÉES DES PIERRES PRÉCIEUSES

India, la fée des pierres de lune
Scarlett, la fée des rubis
Émilie, la fée des émeraudes
Chloé, la fée des topazes
Annie, la fée des améthystes
Sophie, la fée des saphirs
Lucie, la fée des diamants

LES FÉES DES ANIMAUX

Kim, la fée des chatons
Bella, la fée des lapins
Gabi, la fée des cochons d'Inde
Laura, la fée des chiots
Hélène, la fée des hamsters
Millie, la fée des poissons rouges
Patricia, la fée des poneys

À venir :
LES FÉES DES JOURS DE LA SEMAINE

Lina, la fée du lundi